beer is een beer

Anke de Vries
tekeningen van Alice Hoogstad

 Zwijsen

beer

3

daar is beer.
met een net.
beer eet een koek met room.
mmm...

zoem, zoem … een bij!
nee, bij.
dit is mijn koek.
de bij is boos.

de bij bijt in de neus van beer.
ook in zijn nek ...
in zijn poot ...
en zes keer in zijn buik.

aap, aap!
een bij beet in mijn neus.
en zes keer in mijn buik.
kijk maar.

ook naar, beer.
dit doet pijn.
vaar maar mee in mijn boot.
ik vaar naar oom moos.

daar zijn poes en kip ook.
poes met een boek.
en met een pet.
kip met een doos.

ik vaar naar oom moos.
dit is ver.
oom moos bij de dijk.
oom moos met zijn pijp.

poes met een boek.
beer met een koek.
aap met een net.
kip met een pet.

beet!
een vis in mijn net.
doe de vis maar in de doos, kip.

er zit kaas in de doos.
en een reep en een peer.

 de vis moet in de doos.
ik ben de baas.
de vis is voor oom moos.

nee, een vis moet in de zee.

oo, mijn boot!
oo, mijn doos voor oom moos.

oo, mijn boek!
oo, dit is mis!

beer is een boot.
beer is een boot in de zee.
zijn poot is een roer.
zijn buik is een dek.

ik ben een boot, aap.
ik vaar naar oom moos.
oom moos bij de dijk.
oom moos met zijn pijp.

kijk, kijk!
daar is de vis.
met de doos voor oom moos.
en met een boek voor poes.

is dit een boot?
een boot met een poot?
ook raar.
de boot is net een beer!

een zoen voor oom moos.
een zoen voor aap.
een zoen voor poes en kip.
en zes voor beer de boot!

Serie 4 • bij kern 4 van Veilig leren lezen

Na 10 weken leesonderwijs:

1. in de soep
Frank Smulders en
Leo Timmers

2. een zoen voor kip
Marianne Busser &
Ron Schröder en
Marjolein Pottie

3. kaat en de boot
Maria van Eeden en
Jan Jutte

4. ik ben de baas
Anneke Scholtens en
Pauline Oud

5. tijn en toen
Ivo de Wijs en
Nicolle van den Hurk

6. beer is een boot
Anke de Vries en
Alice Hoogstad

7. boer koen
Martine Letterie en
Marjolein Krijger

8. sep en saar
Brigitte Minne en
Ann de Bode